LES GRANDES ÉNIGMES DE L'HISTOIRE

Sophie Crépon

LES GRANDES ÉNIGMES DE L'HISTOIRE

Les mystères de l'île de Pâques

Illustrations
d'Erwann Surcouf

bayard poche

© Bayard Éditions, 2016
18 rue Barbès, 92120 Montrouge
ISBN : 978-2-7470-5688-5
Dépôt légal : janvier 2016

Avant-propos

Ce récit est une fiction, mais il s'inspire de faits réels. Les personnages et les lieux cités ne relèvent pas de mon imagination, à l'exception de Lotu, qui n'a jamais existé. L'écrivain Pierre Loti a bien séjourné à Rapa Nui en 1872, où il a rencontré Atamou et Iouaritaï. L'ethnologue Alfred Métraux et l'archéologue Henri Lavachery s'y sont également rendus en mission en 1934 (et non pas en 1924 comme dans le roman). Les informations concernant l'île de Pâques, son histoire et ses habitants sont extraites d'ouvrages rédigés par des écrivains, amateurs passionnés, ethnologues et historiens de toutes nationalités. Parmi eux, Catherine et Michel Orliac, Alfred Métraux, Pierre Loti, Jean-Hervé Daude, Henri Lavachery, Katherine Routledge, Thor Heryerdahl, Nicolas Cauwe... En revanche, je n'ai pas du tout respecté la chronologie ! Les dates sont fantaisistes, choisies en fonction des besoins du récit. J'ai inventé beaucoup d'événements et de rencontres entre des personnages qui, dans la vraie vie, ne se sont jamais croisés. Je tiens enfin à préciser qu'on ne peut prouver à ce jour que les Incas ont vraiment débarqué sur Rapa Nui. Mais c'est une hypothèse parmi d'autres, qui est aujourd'hui soutenue par des historiens sud-américains et par Jean-Hervé Daude, un chercheur québécois.

Prologue

Sceaux, septembre 1987.

Cher lecteur, je m'adresse à toi sans savoir qui tu es. Vis-tu en France ? Aux Amériques ? En Afrique ou en Chine ? Mais je me pose trop de questions... Au fond, ces menus détails ne comptent pas. Qui que tu sois, l'important est que tu te souviennes de l'histoire que je m'apprête à te raconter. Bon... D'abord, laisse-moi te poser une devinette. As tu déjà entendu parler de l'île de Pâques ? Non ? C'est un petit bout de terre isolé au milieu du Pacifique, à plus de 3 500 kilomètres des côtes chiliennes[1]. Les

---

1. Le Chili est un pays d'Amérique latine.

Pascuans, ses habitants, l'appellent Rapa Nui. En langue polynésienne, cela signifie « Grande Rapa ». Ses gigantesques statues de pierre, les *moaï*, l'ont rendue célèbre dans le monde entier ! Tu les as peut-être déjà aperçues à la télévision ou dans des magazines de voyage. Moi, j'ai eu la chance, autrefois, de les contempler « pour de vrai », comme dirait mon petit-fils Simon. Quelle émotion ! Quel souvenir extraordinaire ! La plupart des moaï sont à demi enterrés. On n'aperçoit que leurs énormes visages aux narines pincées et leurs bustes massifs. Comme ils n'ont ni bras ni jambes, ils semblent prisonniers de la terre ! Parfois, dans mes rêves, ils s'avancent lentement vers moi, leurs yeux de corail grands ouverts. Je me réveille alors en sursaut dans le noir… Oh, ne te méprends pas. Les moaï ne m'effraient pas du tout. Au contraire ! Je sens, je SAIS que leurs bouches de pierre veulent me murmurer leurs secrets dans le creux de mon oreille…

Au fait… Je ne me suis pas présenté. Mon nom est Pierre Pierre-Loti-Viaud. Mon grand-père, Pierre Loti, était un officier de marine et un écrivain célèbre. Si tu savais… Il en a vu, du pays, mon grand-père ! Il a navigué sur toutes les mers et arpenté toutes les terres du monde, de l'Inde à la Turquie, de Tahiti au Sénégal, du Japon à l'Indochine ! Alors qu'il était encore un jeune apprenti marin, il a un jour débarqué sur l'île de Pâques. Eh bien… je peux t'assurer que, jusqu'à la fin de sa longue existence, il n'a cessé de m'évoquer ce séjour d'à peine une semaine ! À chaque fois que je venais en vacances chez lui, il m'en parlait, encore et encore et encore… Comme si quelque chose ou quelqu'un, sur cette île, l'avait envoûté pour qu'il n'oublie jamais celles et ceux qu'il y avait connus…

Mon grand-père est mort depuis bien longtemps, ainsi que mon père Samuel. Moi-même, je suis devenu un vieil homme. Avant de disparaître à mon tour, je veux te raconter, à toi lecteur, l'histoire singulière de l'île de Pâques. Par-dessus tout, je désire te confier un secret que personne ne connaît, pas même les plus grands archéologues ! Alors, es-tu prêt, mon petit lecteur ? Parce que moi, je t'attends…

Pierre PIERRE-LOTI-VIAUD

Chapitre 1

Une civilisation disparue

En 1923, mon grand-père allait sur ses 73 ans. Depuis quelques années, le pauvre homme était hémiplégique. Il ne se déplaçait presque plus, si ce n'est pour passer de son fauteuil roulant à son lit. Pour un voyageur de sa trempe, cette immobilité forcée était une véritable torture. Aussi, un matin du mois de mai, mon père me réveilla plus tôt que d'habitude.

– Allez, Pierre ! Habille-toi ! On va à Hendaye ! Grand-père s'ennuie !

Hendaye... À chaque fois que j'entends ce mot, je saute de joie ! Il s'agit du nom de la ville où résidait mon grand-père, sur la côte basque, au sud de la France. La maison familiale se dressait en haut d'une colline, face à la mer. J'adorais cette demeure un peu orgueilleuse mais décorée avec élégance de mosaïques mauresques, de tapis et de coussins orientaux. J'y passais toujours des moments merveilleux. Chaque pièce recelait des objets mystérieux à mes yeux. Des statuettes de divinités asiatiques côtoyaient des masques polynésiens ou africains aux lèvres épaisses. Des armes à feu, pistolets et fusils, s'alignaient entre des couteaux et des dagues rangés dans leurs fourreaux en argent ciselé. D'énormes plats en cuivre rapportés des bazars du Levant reposaient à côté de narghilés, ces pipes à eau si typiques des pays du Maghreb.

Je n'avais que 11 ans mais, curieusement, j'ai l'impression d'avoir retenu tout ce qui s'est dit ce jour-là. Sitôt que nous fûmes installés dans le salon, grand-père indiqua de sa main valide une petite malle dissimulée derrière un paravent chinois.

– Samuel, il y a là une chemise dans laquelle je conserve quelques feuillets que j'ai rédigés lorsque j'étais sur l'île de Pâques, en 1872. Veux-tu bien me les apporter ?

Mon père ne se fit pas prier. Il avait hérité de mon grand-père ce goût pour les horizons lointains et les aventures exotiques. Il avait déjà entendu parler de l'île de Pâques mais, à cette époque, ses connaissances sur le sujet étaient encore très limitées. Grand-père attrapa maladroitement le paquet de feuilles écornées que lui tendait son fils et les posa sur ses genoux. Pendant quelques secondes, son regard se perdit dans le vague. Sa main fripée aux doigts gonflés caressait délicatement la couverture de la chemise tandis que le silence s'éternisait. Soudain, sa voix légèrement tremblante résonna dans la pièce :

– J'ai un aveu à te faire, Samuel… Tu le sais, je te l'ai dit souvent, mon séjour à l'île de Pâques a été merveilleux. Je crois que c'est là-bas que j'ai décidé de devenir écrivain. Pourtant, lorsque j'y pense, je ne peux m'empêcher d'avoir des regrets…

– Que veux-tu dire, père ?

Sans répondre, le vieil homme continua :

– D'abord, je veux que tu saches, Samuel, dans quelles circonstances j'ai séjourné à Rapa Nui. C'était en 1872, j'avais 21 ans. Je venais d'intégrer la Marine, j'étais ce qu'on appelle un aspirant. J'ai embarqué à Lorient le 15 mars 1871 pour un long voyage dans les mers du Sud. C'était ma première campagne d'exploration… Après avoir changé de bateau à Valparaiso[1], nous avons repris la mer à bord de la frégate à voile *La Flore*, le 19 décembre. Il nous a fallu une quinzaine de jours pour arriver en vue de l'île. Il me tardait d'y débarquer, car, comme tout le monde à bord, j'avais vu les gravures de ces mystérieuses statues de pierre rapportées par les navigateurs des temps passés.

Mon grand-père s'interrompit pour fouiller dans la chemise posée sur ses genoux. Il en sortit des reproductions de peintures

---

1. Ville portuaire du Chili.

et de dessins et les tendit à mon père. Il y avait là une litho-gravure d'une huile sur toile du peintre anglais William Hodges, qui accompagna James Cook lors de son deuxième voyage dans le Pacifique, de 1772 à 1775. Elle représentait un paysage tourmenté sous un ciel chargé contre lequel se détachaient les silhouettes massives des moaï.

Mon grand-père reprit la parole :

– Beaucoup de racontars circulaient à propos de l'île de Pâques. À Valparaiso, un vieux loup de mer m'avait assuré qu'elle était peuplée d'indigènes à demi sauvages se nourrissant de racines. On disait même que certains étaient... cannibales. Je ne le croyais pas... En tant qu'aspirant, j'avais accès aux archives de la Marine. J'en avais lu une bonne partie avant de m'embarquer et je n'avais trouvé aucun témoignage allant dans ce sens. En revanche, j'avais consulté la première carte de l'île, établie par le naviga-teur espagnol Felipe Gonzales en 1770. Sais-tu que Rapa Nui est minuscule ? Pas plus de 165 km^2... Une fois et demie la surface de Paris ! J'ai tout de suite été fasciné par sa forme triangulaire, son relief sauvage, ses maigres ressources et son isolement... Elle est si seule au milieu des eaux que peu de navires s'y sont arrêtés depuis sa découverte en 1722. D'ailleurs, je pensais que nous aurions de la peine à y aborder, à cause de ces récifs qui en ceinturent les côtes et du vent violent qui y souffle en permanence...

– Si Rapa Nui n'était peuplée que de « sauvages », comment expliquer la présence des moaï ? interrompit soudain mon père.

Ces statues pèsent plusieurs tonnes. Comment les habitants sont-ils parvenus à les sculpter et à les déplacer ? Ne crois-tu pas que seul un peuple ingénieux et avancé a pu réaliser une telle prouesse ?

Mon grand-père sourit en hochant la tête.

– Je me suis posé la question, comme tout le monde. Vois-tu, nous sommes aujourd'hui en 1923. Cela fait plus de cinquante ans que je suis allé là-bas. Depuis, aucun archéologue, aucun ethnologue n'a été capable de répondre à cette question ! Pour certaines personnes, l'île de Pâques serait le dernier vestige d'un continent englouti par une gigantesque éruption volcanique ou un tremblement de terre. Une brillante civilisation s'y serait développée dans des temps très anciens...

À ce moment, l'horloge du salon sonna midi. Il était temps de déjeuner, ce que ne manqua pas de nous rappeler Simone, la gouvernante qui s'occupait de grand-père. Je me souviens que, lorsque mon père me montra une de ces gravures, je fus pris de tristesse à la vue des moaï alignés. Sentais-je déjà, dans mon cœur d'enfant, que ces sévères visages de pierre portaient en eux la tragique histoire du peuple pascuan ? Aujourd'hui, je le crois mais, à l'époque, mon père ne pouvait le deviner. Il crut que j'avais eu peur. Pour me consoler, il me donna un hochet ancien, que grand-père avait rapporté d'Indochine.

Chapitre 2

Des crânes et des ossements

Après le déjeuner, mon grand-père continua son récit. Il se souvenait de tout avec une précision étonnante ! *La Flore* était arrivée en vue de l'île le 3 janvier 1872. Le vent se déchaînait ce jour-là. L'équipage avait repéré que le meilleur endroit pour jeter l'ancre était la baie de Cook. À peine la frégate s'était-elle immobilisée qu'une baleinière[1] en provenance de l'île accostait le navire. À son bord s'y trouvaient un vieux Danois et un indigène

---

1. Bateau long et fin, pointu aux deux extrémités, qui était utilisé pour la chasse à la baleine.

vêtu d'une simple ceinture d'écorce de mûrier[1]. Ses lèvres étaient tatouées de bleu et ses cheveux rougeâtres, attachés en plumet au-dessus du crâne.

– Des Européens vivaient donc sur l'île de Pâques ? demanda mon père avec étonnement. D'où venaient-ils ? Depuis quand y habitaient-ils ?

Mon grand-père fronça les sourcils.

– Lors de mon séjour, je n'ai vu qu'un seul Européen. Mais je sais qu'il y en a eu d'autres. Des missionnaires, je crois... Cela étant dit, j'ignore depuis combien de temps ce Danois vivait là... Quoi qu'il en soit, l'indigène qui l'accompagnait s'appelait Petero. Il m'a fait grande impression, tu sais. Sa figure et ses yeux étaient tristes mais, malgré tout, sitôt qu'il a été à bord avec nous, il a dansé et chanté des airs de son pays sans s'arrêter jusqu'au soir. Entre-temps, d'autres Pascuans nous avaient rejoints en pirogues. Ils entouraient la frégate par dizaines. J'aurais voulu que tu les voies, mon fils. De pauvres créatures nues et misé-reuses, souriantes comme des enfants naïfs malgré leur situation ! Ils nous tendaient leurs pagaies, leurs lances à pointe de silex et leurs idoles sculptées dans du bois afin de les échanger contre des vêtements... L'amiral qui commandait *La Flore* a décidé que nous irions à terre le lendemain. Il voulait que nous repérions

1. Il existe une dizaine d'espèces de mûriers. Ce sont des arbustes qui poussent en Asie et en Amérique du Nord. Il ne faut pas les confondre avec les ronces, qui donnent les mûres.

l'emplacement des moaï et que nous chassions quelques lapins pour le dîner. Je me souviendrai toute ma vie de ma première impression quand j'ai posé le pied sur la grève… Des nuages noirs roulaient dans le ciel, la houle couvrait la mer de gerbes d'écume furieuses qui venaient se briser contre les récifs. Il faisait sombre et froid. La côte, très découpée, se prolongeait par des hauteurs que nous avons tout de suite identifiées comme d'anciens volcans. L'un d'eux, le Rano Kau, m'a particulièrement impressionné. Son cratère inquiétant s'élevait au-dessus d'une plaine morne. Ce paysage m'a d'abord terrifié, je dois dire. J'avais l'impression de débarquer dans un monde hostile, peu favorable à la vie humaine… Alors que nous avancions sur la plage, peu à peu, des dizaines de Pascuans sont sortis de huttes très basses construites en bordure de rivage. On aurait dit une armée de fantômes venus d'un lointain passé… Je me suis toujours interrogé sur l'origine des Pascuans. Cette question m'obsède depuis que je les ai rencontrés… Sont-ils les descendants d'une tribu préhistorique oubliée ? Comment ont-ils réussi à coloniser cette terre désolée, si loin de tout ? D'où viennent leurs pirogues de bois alors qu'il n'y a pas un seul arbre sur l'île pour construire de telles embarcations ?

– Continue, s'il te plaît, encouragea mon père, impatient de connaître la suite.

Grand-père fit un geste d'apaisement et but un verre d'eau avant de poursuivre.

– Pendant que certains d'entre nous partaient le long de la plage, je restai avec les Pascuans. Ils s'étaient mis en cercle autour de moi et chantaient en se balançant d'avant en arrière. Dès le premier jour, je me suis fait des amis. Oui, des amis, qui m'ont accordé leur confiance. Je n'ai jamais éprouvé de crainte en leur présence, bien qu'au cours de nos explorations, nous ayons découvert quantité d'ossements et de crânes humains...

– Ainsi, le vieux marin de Valparaiso avait raison ! s'exclama mon père. Les Pascuans pratiquaient des rites cannibales !

– Ces habitudes n'avaient plus cours en 1872. Mais, comme dans d'autres îles du Pacifique, elles ont existé autrefois, c'est certain ! À quelle époque, c'est difficile à dire... Quoi qu'il en soit, je me suis d'abord lié d'amitié avec Petero. Puis, très vite, je me suis attaché à deux jeunes hommes, Atamou et Houga, et à deux jeunes filles, Marie et Iouaritaï. Pendant mon séjour, ils m'ont guidé dans les deux villages de l'île, Hanga Roa et Mataveri. Grâce à eux, j'ai fait la connaissance de certains chefs de l'île. Ceux-là ressemblaient à de vieux sorciers ou à des momies tant ils étaient âgés ! On les reconnaissait à la coiffe de plumes de coq noires qu'ils portaient et aux tatouages compliqués de leurs bras et de leurs jambes. Ces gens m'ont invité en toute simplicité à les rejoindre dans leurs pauvres huttes de roseaux et de branchages. Mon Dieu, quel dénuement ! Il fallait ramper pour y entrer, car elles ne mesuraient pas plus d'un mètre et demi de haut. Évidemment, on ne pouvait se tenir debout à l'intérieur. Les Pascuans vivaient au ras du sol, sur des nattes de jonc. Une seule hutte abritait toute une famille de cinq, six ou sept personnes, en plus des chats et des lapins. Il y faisait noir comme dans un four ! Comme j'y restais de longues minutes, mes yeux finissaient par s'habituer à l'obscurité. Je distinguais alors, accrochés aux murs, tout un tas d'objets : des pagaies sculptées en forme de visages humains, des colliers de coquillages, des massues, des idoles sculptées dans un bois très noir... J'en ai rapporté beaucoup dans mes bagages, que j'échangeais contre des babioles ou des vêtements. Ils seront à toi un jour, mon fils...

Grand-père, encore une fois, s'interrompit.

– Et les statues ? demanda mon père. Parle-moi d'elles...

À cette question, les yeux de mon grand-père se remplirent soudain de larmes.

– Je t'ai dit tout à l'heure que j'avais des regrets concernant mon séjour à Rapa-Nui. J'ai honte de te l'avouer aujourd'hui, bien que je ne sois en rien responsable des actes du contre-amiral de *La Flore*... Mais, d'une certaine manière, j'ai trahi les Pascuans...

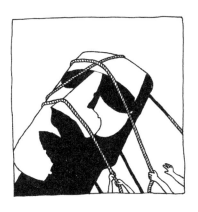

Chapitre 3

Une mission pour Samuel

Simone surgit à ce moment dans le salon.

– Qu'avez-vous fait à Monsieur ! Sa santé est fragile, vous ne devez pas le fatiguer !

Grand-père s'essuya les yeux et posa sa main sur le bras de la gouvernante en signe d'apaisement.

– Ma bonne Simone, ce n'est rien, je ne suis qu'un vieux sentimental.

Avant qu'il ne reprenne la parole, Simone apporta du thé et lui cala un coussin dans le dos.

– Le matin du cinquième jour de notre séjour, continua le vieil homme, le contre-amiral nous a convoqués, quelques membres de l'équipage et moi. Il tenait à rapporter en France l'un de ces moaï. « Ordre du ministère ! » nous a-t-il dit. Il nous a demandé de nous tenir prêts pour une expédition sur l'île dès le lendemain. Le contre-amiral m'a ordonné de me joindre à eux, car il avait remarqué mes bonnes relations avec les Pascuans. Il savait que j'avais réalisé de nombreux dessins de statues qu'Atamou m'avait montrées la veille. Il voulait que je dessine dans son décor naturel et dans son état d'origine la statue que nous emporterions. « Ces croquis illustreront le rapport sur l'île de Pâques que je dois remettre au ministre de la Marine et des Colonies », m'a-t-il affirmé.

Le lendemain, nous avons embarqué dans une chaloupe une centaine d'hommes et un chariot bricolé pour l'occasion. C'était un peu ridicule, mais le lieutenant de vaisseau a voulu donner de la solennité à cette opération. Quand la chaloupe a accosté sur la plage, il a exigé de nos marins qu'ils marchent en rangs et au pas, au son du clairon. La nouvelle s'était répandue parmi les Pascuans que nous allions enlever l'une de leurs idoles. Ils s'étaient rassemblés sur la grève et nous attendaient. Mon Dieu, j'aurais voulu que tu entendes le raffut qu'ils faisaient ! Ils criaient, hurlaient, dansaient et gesticulaient dans tous les sens. Quand ils ont entendu le son du clairon, cela a été encore pire ! Une fois débarqués, nous nous sommes mis en route vers l'intérieur des terres. Aucun d'entre nous ne s'était aventuré aussi loin dans l'île auparavant. Mais le contre-amiral, lui, savait ce qu'il faisait. Le Danois, l'Européen que nous avions vu le premier jour, lui avait vendu la mèche : un important sanctuaire abandonné se trouvait sur la côte nord, de l'autre côté de la baie de Cook. Il était certain de pouvoir choisir une statue parmi une dizaine de moaï encore en bon état. Un petit groupe d'autochtones nous accompagnait. Marie, Houga et Iouaritaï trottinaient à mes côtés. Mais Atamou, pour une raison qui m'échappe, se tenait à l'écart. Alors que cela ne lui ressemblait pas, sa figure avait un je-ne-sais-quoi de mélancolique et d'hostile...

Le temps était sombre et pluvieux, ce jour-là. Pas un oiseau ne volait dans le ciel. Il régnait un silence étrange. Pendant des heures, nous avons marché dans une triste plaine parsemée d'éboulis de pierres et couverte d'herbes hautes, de broussailles et de cannes à sucre sauvages. Ici et là poussaient des mûriers, ces arbustes dont le bois est utilisé par les Pascuans pour tailler leurs idoles et fabriquer une étoffe appelée *tapa*. Parfois, on apercevait dans certaines vallées de grands arbres morts, les racines à l'air, comme des doigts tendus vers le ciel. Les cratères des volcans bouchaient l'horizon, ce qui fait qu'on ne voyait plus la mer. Le Danois nous a assuré qu'aucun autochtone ne vivait là depuis longtemps, et pourtant un détail nous a frappés.

– Quoi donc ? demanda mon père, impatient.

– Des dizaines de sentiers empierrés parfaitement entretenus sillonnaient la plaine...

Mon père resta bouche bée une fraction de seconde. Puis il comprit : si aucun Pascuan ne vivait plus dans ce lieu désolé, qui s'occupait de ces sentiers ?

Sans répondre à la question muette de son fils, mon grand-père continua son récit.

– Houga et Petero nous précédaient depuis notre départ de la plage pour nous montrer le chemin. À un moment, ils ont bifurqué pour suivre un chemin côtier. Nous les avons suivis. Au bout de quelques minutes, nous avons compris à leurs mimiques que nous arrivions à destination. Mais, à notre grande surprise, nous n'avons vu de moaï nulle part ! Il n'y avait devant notre petite troupe qu'un amoncellement d'énormes pierres taillées. Elles m'ont fait penser à ces autels et à ces temples monumentaux que l'on voit au Pérou. On aurait dit qu'elles avaient été renversées, jetées et éparpillées comme de vulgaires dés par des géants en colère !

Mon père hocha la tête, les yeux brillants d'excitation.

– Ce que tu me décris là me rappelle aussi ces murailles gigantesques que l'on voit en Grèce. Tu te souviens, père ? Cet archéologue anglais, Arthur Evans, a découvert récemment une très ancienne civilisation... Voyons... Les Mycéniens, si je me souviens bien ? Leurs palais sont si hauts et si larges qu'ils ne semblent pas humains ! On dirait que les bâtisseurs de cette époque cherchaient à se protéger des hydres et des cyclopes qu'ils imaginaient dans leurs mythes ! Les Pascuans croyaient-ils aux monstres, eux aussi ?

Grand-père sourit.

– Ne t'emballe pas ! Les ruines que j'ai vues ce jour-là à Rapa Nui ne ressemblent pas du tout aux palais mycéniens ! Les Pascuans appellent ces plateformes des *ahu*. Il paraît que les idoles s'y dressaient autrefois, le dos tourné à la mer... Quoi qu'il en soit, Petero et Houga bondissaient comme des diables. Ils me faisaient de grands signes d'appel. « Viens, viens », me criaient-ils, et moi, je ne voyais toujours rien ! Notre petite troupe s'est approchée. Nous avons grimpé sur les monceaux de pierres taillées en jetant des regards désespérés de tous les côtés. L'amiral ne disait pas un mot, les lèvres serrées de rage ! Quoi, tout ce chemin, tous ces préparatifs pour rien !? On lui aurait donc menti ? Ce Danois allait voir de quel bois il se chauffait ! Puis, tout à coup, Petero m'a saisi par la manche et m'a obligé à m'agenouiller. Il a appuyé sur l'arrière de ma tête du plat de la main pour me forcer à regarder à mes pieds. Et là... Oh, Samuel, j'aurais voulu que tu voies ça... Je suis tombé nez à nez avec les grandes orbites vides d'un moaï. Nous ne nous en étions pas aperçus, mais depuis dix bonnes minutes, nous piétinions des statues !

Mon père poussa un petit « Oh ! » de surprise.

– Les moaï étaient tous renversés ?

– Oui, exactement... Retournés sens dessus dessous, la face contre terre, parfois, ce qui explique que nous ne les ayons pas tout de suite repérés.

– Qui a fait ça ? C'est à cause de l'éruption volcanique ou du tremblement de terre géant dont tu as parlé tout à l'heure ? Il y a eu une guerre entre les Pascuans ? Ou contre des guerriers venus d'ailleurs ?

– Personne n'a la réponse à cette question, Samuel. Cette île est si mystérieuse !

– Qu'avez-vous fait, alors ?

– Tout est allé très vite...

Le regard de mon grand-père se perdit dans le vague un bref instant. Il but un verre d'eau, déglutit avec difficulté puis reprit :

– Le contre-amiral a pris les choses en main. Les matelots, avec des cordes, des palans improvisés et divers leviers, ont retourné plusieurs statues pour choisir la mieux conservée. Puis ils ont sorti les scies...

Grand-père s'interrompit, le visage dur, puis reprit avec difficulté :

– De grandes scies, pour couper la tête d'un moaï... Oh, Samuel, comme je regrette ! J'ai l'impression d'avoir participé à une profanation ! Nous ne pouvions pas emporter un moaï entier... Trop lourd pour notre chaloupe et nos hommes...

Mon père se pencha vers mon grand-père. Il allait prononcer quelques mots de réconfort, mais celui-ci ne lui en laissa pas le temps :

– J'ai mal agi envers ces gens... J'ai deux choses à te demander, Samuel. Je veux léguer aux Pascuans les cinq carnets de croquis que j'ai dessinés là-bas. Je leur dois bien ça, à défaut de leur restituer le moaï que nous leur avons volé... Voudras-tu bien t'en occuper après ma mort?

Mon père hocha la tête.

– Et puis... je voudrais que tu retrouves Iouaritaï. Si elle est encore vivante...

– Pourquoi? demanda mon père, étonné.

Grand-père soupira puis laissa son regard errer dans le vide.

– C'était il y a si longtemps... Je ne connaissais pas encore ta grand-mère. Iouaritaï a été le premier grand amour de ma vie. J'ai dû l'abandonner.

La voix du vieil homme se cassa:

– Elle ne pouvait pas venir avec moi sur le navire... Le contre-amiral me l'a interdit formellement. Je n'ai pas osé enfreindre le règlement... J'ai été lâche. Tellement lâche!

Chapitre 4

Un moaï au musée

Ce fut l'une des dernières fois que je vis mon grand-père. Pierre Loti mourut quelques mois après cette conversation. Je venais d'avoir 12 ans. Le jour de son enterrement, j'ai beaucoup insisté auprès de ma mère pour revêtir mon uniforme de petit matelot. Qu'est-ce que j'étais fier avec mon béret à pompon, ma vareuse sur mesure, ma marinière rayée bleue et blanche et mon paletot ! À tout bout de champ, je faisais le salut militaire, hop ! la main sur la tempe, le coude et le menton levés, le regard planté droit devant moi ! Je voulais imiter les grands, car je savais que les anciens camarades officiers de mon grand-père assisteraient à ses funérailles. Ils exhiberaient leurs plus beaux atours et eux aussi lui rendraient une dernière fois les honneurs. Le gouvernement avait décrété des funérailles nationales. Tout ce que la France comptait d'écrivains, d'artistes et d'explorateurs avait pris le train, la voiture, le tramway ou l'autobus pour se rendre à Rochefort, la ville natale de mon grand-père. La messe achevée, le cercueil recouvert de drapeaux français fut exposé un moment sur un catafalque[1] croulant sous les fleurs. Une procession de messieurs élégants en chapeaux hauts de forme et redingotes noires accompagnés de dames vêtues de jupes longues et de chapeaux cloches se prosterna pendant d'interminables minutes devant la dépouille de mon grand-père, au son des orgues qui continuaient de jouer. Moi, j'avais hâte de sortir respirer l'air du dehors. Les odeurs d'encens m'incommodaient. Il me tardait de quitter la foule pour embarquer sur le bateau qui devait acheminer ma famille jusqu'à l'île d'Oléron, où mon grand-père avait exprimé le vœu d'être inhumé.

Mon père m'avait fait promettre de ne rien dire des confidences de grand-père à ma mère, Blanche. Il craignait qu'elle ne soit choquée par la révélation de l'amour du célèbre Pierre Loti pour une indigène, comme on disait à l'époque avec mépris. Ma mère, très bourgeoise, détestait le scandale... Dans l'ombre,

---

1. Estrade décorative destinée à accueillir un cercueil.

pourtant, mon père s'activait. Nous étions revenus dans notre appartement à Paris lorsqu'un soir, je le surpris en grande conversation téléphonique avec un mystérieux interlocuteur. Tous deux parlaient d'un chantier naval et d'un navire en construction, appelé le *Rigault-de-Genouilly*. Mon père n'arrêtait pas de répéter : « Vous me tenez au courant, surtout. Je compte sur vous. » Mais de quoi parlaient-ils donc ? Malgré mes questions, mon père refusa de me dire de quoi il retournait. Puis, le matin du 2 juin 1924, il annonça à ma mère qu'il avait un rendez-vous important au palais du Trocadéro avec Paul Rivet, le directeur du musée d'ethnographie. Comble de surprise, il prétendit que je devais l'accompagner. Ma mère haussa ses fins sourcils et grommela un « Qu'est-ce que c'est encore que cette lubie ? » et un « Je vous rappelle que M. Gaston Lévy[1] attend toujours le manuscrit revu et corrigé du journal intime de votre père ». Malgré le soleil éclatant, elle rechigna à me laisser sortir parce que j'étais un peu malade ce jour-là : je mouchais terriblement. Mais mon père ne lâcha pas prise. À 10 heures, nous étions en route à bord de notre nouvelle voiture, une Citroën Trèfle joliment surnommée « la Citron ». Une demi-heure plus tard, nous stoppions devant l'énorme palais du Trocadéro. À mon grand étonnement, nous n'eûmes pas besoin de payer nos entrées : mon père se contenta de saluer d'un geste amical une jeune femme

---

1. Gaston Lévy était l'éditeur de Pierre Loti.

à chignon assise derrière un petit comptoir. Manifestement, ce n'était pas la première fois qu'il venait ici. Puis il se dirigea à grands pas vers les entrailles du musée. Il me tenait par la main, m'obligeant à trotter derrière lui.

– Où on va, papa ?

Il ne répondit rien et accéléra encore le pas. J'avais tellement peur de trébucher que je regardais mes pieds. Tout à coup, mon père stoppa net.

– Regarde...

Je levai les yeux.

– Aaaaaaaaaahhhhhhhhh !

La dernière fois que j'avais hurlé ainsi, c'était à la mer, quand une méduse s'était collée sur mon oreille... À quelques centimètres, me toisant, un moaï m'observait. Mon père riait à gorge déployée tandis que je me cachais derrière mes mains.

– Tu ne le reconnais pas ?

Comme je restais médusé, justement, mon père sortit un carnet de croquis de mon grand-père. Mais oui ! Il s'agissait de la statue enlevée à Rapa Nui[1] par l'équipage de *La Flore* ! Ces lèvres minces et boudeuses, ce nez long et fin, ces grandes oreilles...

– Je voulais que tu le voies, Pierre. En chair et en os, si j'ose dire ! En mémoire de ton grand-père.

Je fixai la chose.

---

1. Cette tête se trouve aujourd'hui exposée dans le hall d'accueil du musée du Quai Branly, à Paris. Elle a été restaurée en 2005. Tu peux aller la découvrir.

Ce n'est pas très gentil de dire ça, mais, quand j'étais petit, je les trouvais laids, les moaï.

– J'ai quelque chose d'autre à te dire.

Mon père se pencha vers moi.

– Je vais embarquer pour l'île de Pâques.

J'ouvris des yeux ronds.

– Emmène-moi, papa !

– Il n'en est pas question. Tu es trop jeune. Et je te rappelle que tu dois aller à l'école.

Je voulus protester, mais mon père ne m'en laissa pas le temps.

– Aujourd'hui, j'ai rendez-vous avec l'organisateur de l'expédition. Je vais accompagner pendant plusieurs mois une équipe d'ethnologues et d'archéologues français et belges. C'est une occasion unique d'accomplir la promesse faite à ton grand-père. Je ne peux pas la laisser passer ! Je sais que ta mère va m'en vouloir, mais elle comprendra.

– Et moi ?

– Tu vas rester sagement à m'attendre et tu veilleras sur ta mère.

Tac, tac, tac...

Mon père se redressa, tout sourire.

– J'entends M. Rivet. Je reconnaîtrais ce pas énergique entre mille !

Il se retourna pour serrer la main de l'homme qui arrivait à notre hauteur. J'eus droit à cette manie qu'ont les adultes de fourager les cheveux des enfants et de les décoiffer pour leur dire bonjour.

– Mon fils, dit mon père en me désignant.

– On m'a annoncé votre arrivée... Bienvenue.

M. Rivet me sourit distraitement puis il fixa mon père, l'œil pétillant. Il baissa la voix et dit lentement en pesant ses mots :

– J'ai une ex-cel-len-te nouvelle.

Mon père resta bouche bée mais il se ressaisit vite.

– C'est pour quand ?

– La fin de cette semaine. La Marine a donné son feu vert plus facilement que nous le pensions !

Mon père me jeta un coup d'œil affolé avant de s'exclamer :

– C'est beaucoup plus tôt que je ne pensais !

Chapitre 5

Un embarquement rocambolesque

Tu t'en doutes peut-être, cher lecteur... Je n'ai ÉVIDEMMENT pas laissé mon père m'abandonner. J'ai profité de l'affolement provoqué par son départ précipité pour l'île de Pâques.

Le jour dit, tandis que les malles s'entassaient dans le vestibule et que ma mère se lamentait, je vins faire mes adieux à mon père. Je m'étais composé une mine triste et malade grâce aux oignons dont je m'étais frotté les yeux. Mon père se tenait dans la salle à manger avec un chauffeur dont nous avions loué les services pour l'occasion. Je refusai obstinément de les accompagner au train. À coups de gros reniflements pathétiques et la larme à l'œil, je fis comprendre à mes parents et à Simone (nous l'avions reprise à notre service après la mort de grand-père) que j'avais horriblement mal à la tête et que je préférais, pour que la séparation soit plus supportable, aller dormir sur-le-champ. Surtout, je précisai qu'il ne fallait en aucun cas me déranger avant le soir. Tout le monde comprit et compatit. Mon père me serra fort dans ses bras, puis je filai dans ma chambre, à l'étage. Je sortis un traversin du placard et l'enveloppai de mon pyjama. Je rembourrai de chaussettes la manche et l'installai de manière à la faire légèrement dépasser des draps. Si Simone venait depuis le seuil jeter un œil dans ma chambre à demi plongée dans l'obscurité, elle me croirait endormi dans mon lit ; l'illusion serait parfaite. Bien sûr, si elle s'avisait de venir me border, ma ruse serait éventée.

La gare n'était qu'à un kilomètre de la maison. En écoutant aux portes les jours précédents, j'avais appris que mon père allait embarquer à Lorient. Je n'avais pas la moindre idée du trajet pour aller de Paris à Lorient, mais je savais comment me rendre à pied à la gare. La veille, j'avais préparé un petit sac, avec quelques vêtements, mon uniforme de matelot et une paire de chaussures de rechange. Avant même mon père, je partis donc en sortant par l'arrière-cuisine. Je t'épargne, cher lecteur, les détails de ma course et de mon arrivée à la gare, mon affolement quand le contrôleur, me voyant seul, voulut appeler la police.

Dès qu'il eut le dos tourné, je me précipitai sur les quais. Deux trains stationnaient. Lequel était le bon ? J'en étais là de mes tourments quand, tout à coup, mon père apparut à l'autre bout de la gare. Il s'en fallut de peu qu'il me voie ! Je me précipitai dans le wagon le plus proche. Par chance, je me trouvais dans le bon train. Après d'interminables adieux et cajoleries à ma mère, mon père prit place dans un compartiment de première classe. Je me réfugiai dans la troisième classe, sur les bancs de bois. Pendant tout le voyage, je dus jouer à cache-cache avec les contrôleurs, surtout lors des changements de train. Enfin, nous arrivâmes à Lorient... Je décidai de ne pas chercher à suivre mon père et de me rendre directement au port. Je connaissais le nom de son bateau : le *Rigault-de-Genouilly*. Ce serait bien le diable si je ne parvenais pas à le repérer ! J'avais entendu qu'il s'agissait d'un navire de guerre du type « aviso colonial ». En fouillant dans la bibliothèque de la maison, j'avais trouvé un ouvrage flambant neuf qui recensait tous les types de bateaux de la Marine. D'après la photographie, il s'agissait d'un bâtiment long et fin, pas très haut, doté de deux cheminées et de deux mâts.

La nuit était déjà tombée lorsque je parvins au port. J'ignorais où se trouvait mon père. Était-il arrivé ? Je savais que l'équipage appareillait dans la nuit pour l'Afrique avant de traverser l'Atlantique en direction de l'Amérique du Sud. Il fallait que je monte à bord à la faveur de l'obscurité. Je me demandais comment trouver le navire quand j'aperçus des enseignes de vaisseau[1] et un lieutenant qui sortaient d'une gargote. À leurs uniformes, identiques à ceux que portaient les officiers venus à l'enterrement de mon grand-père, je reconnus tout de suite qu'ils appartenaient à la Marine nationale. Quelle chance ! Ils allaient me mener directement à l'emplacement du port réservé aux bâtiments militaires.

Une heure plus tard, j'étais toujours à terre, mais tout près de mon navire, tapi dans l'ombre des entrepôts voisins. Au fil de la soirée, plusieurs dizaines de matelots étaient remontés à bord. Je les voyais à quelques mètres de distance. Comme il semblait facile de se glisser le long de la passerelle encore descendue ! Tout à coup, des éclats de voix attirèrent mon attention. Un groupe d'hommes marchaient dans ma direction. Mon père ! Il arrivait tout juste de son dîner en ville avec le commandant de bord, et deux autres hommes qui devaient être des ethnologues ou des archéologues. À leur suite, une dizaine de mousses portaient des malles.

– Posez les malles, ordonna le commandant.

Les garçons, en sueur, déposèrent leur fardeau. D'un geste ample et en s'inclinant légèrement, le commandant invita alors ses hôtes à monter à bord de l'aviso.

– Allons-y, ces jeunes gens vont s'occuper de vos bagages.

Mon père s'apprêtait à monter lorsqu'il jura.

– J'ai oublié d'acheter du tabac !

---

1. Les enseignes de vaisseau étaient des officiers de la Marine chargés de porter le drapeau.

Il se tourna vers l'un des mousses.

– Petit, voici 30 francs, rapporte-moi du tabac blond pour ma pipe.

Je ne suis pas très fier de ce que je fis alors. Mais je n'avais pas le choix. Je suivis le mousse… Une bande de mauvais garnements traînaient sur le port autour des tavernes. J'avais un peu d'argent sur moi. Je tentai de les convaincre de dépouiller le mousse de son uniforme, car je n'osais pas m'attaquer moi-même à lui. Mais les bougres ne voulurent rien savoir. Alors je sortis de mon sac mon uniforme de matelot.

– Je te l'échange contre la tenue complète du mousse, dis-je au chef de la bande. Il vaut très cher, ce n'est pas un déguisement. Mon père me l'a fait tailler sur mesure.

J'ignore comment ils s'y prirent, mais, quelques minutes plus tard, les chenapans m'apportaient leur prise de guerre. Je me changeai à toute vitesse dans un vieil entrepôt et revins en courant au *Rigault-de-Genouilly.* Les mousses avaient disparu, ainsi que les malles. Il ne restait plus posté sur la dunette qu'un aspirant.

– Dépêche-toi! cria-t-il. Tu es le dernier à terre.

Je crus être découvert en passant devant lui, mais il ne prit pas garde à moi. En réalité, il est fort probable qu'il ne connaissait pas tous les mousses embarqués. Le *Rigault-de-Genouilly* effectuait sa première croisière et l'équipage venait d'être constitué. Je lui tendis la blague à tabac:

– Je suis de corvée ce soir… Et je suis déjà en retard. Pouvez-vous remettre ceci à M. Loti ?

Le jeune officier grommela mais il prit la commission. J'avais réussi ! Il ne me restait plus qu'à me glisser incognito dans la cabine collective réservée aux mousses pour qu'aucune alerte ne soit donnée avant le départ de l'aviso. Une fois en pleine mer, mon père n'aurait aucune possibilité de me renvoyer à la maison…

***

Lorsque je fus démasqué, le lendemain matin, nous étions heureusement partis depuis plusieurs heures. Je ne m'étendrai pas sur l'énorme colère de mon père, la raclée monumentale qu'il m'infligea, les menaces, les cris et les reproches qu'il m'adressa. Bizarrement, ce fut le commandant ainsi qu'un archéologue, Henri Lavachery – devenu très célèbre –, et un jeune ethnologue du nom d'Alfred Métraux qui vinrent à mon secours. Ma longue amitié avec Alfred, qui avait 32 ans, a débuté à cette époque. Mon père finit par se calmer au bout de quelques jours. Il me fit même le plaisir de m'accepter dans sa cabine équipée de deux lits superposés.

Plus d'un mois après, le 27 juillet 1924, nous débarquions à Rapa Nui, au village de Hanga Roa. Le premier jour, je t'avoue, mon petit lecteur, nous fûmes fort déçus. L'île avait beaucoup changé depuis le séjour de mon grand-père. Elle n'avait plus rien d'exotique. Devenue chilienne, elle était désormais dirigée par un gouverneur, au demeurant assez aimable. C'est lui qui nous accueillit et nous hébergea. Quant à la population, je m'attendais à rencontrer des habitants très différents de nous. En réalité, les Pascuans, bien que très pauvres, étaient habillés à l'occidentale et s'adressaient à nous en espagnol, en français ou en anglais. Au village de Hanga Roa, je n'ai vu aucune hutte comme celles que décrivait mon grand-père, mais des maisons en bois et en tôle et, au-delà du village, des prairies onduleuses d'herbe jaune parsemées de pierres noires. Des milliers de moutons y paissaient, ce qui nous a grandement étonnés jusqu'à ce que le gouverneur nous explique que la quasi-totalité de l'île était louée à la compagnie anglaise Williamson & Balfour. Les pauvres Pascuans, qui n'étaient pas plus de six cents, étaient parqués au village, car l'accès au reste de l'île leur était interdit par des fils de fer barbelés !

Mon père ne comprenait pas pourquoi Rapa Nui s'était métamorphosée à ce point entre 1872 et 1924. Puis on nous donna des explications… À plusieurs reprises, avant l'arrivée des Chiliens, des négriers étaient venus capturer des Pascuans pour les vendre comme esclaves dans les fermes du Pérou et les grandes exploitations de guano[1]. D'après le gouverneur, la dernière rafle avait

---

1. Le guano est de la fiente d'oiseaux de mer. De très importantes colonies d'oiseaux vivent sur les îles voisines du Pérou. Leurs excréments, utilisés comme engrais, ont été beaucoup exploités au XIXᵉ siècle.

été particulièrement affreuse : le roi de l'île ainsi que les prêtres et les savants avaient tous été enlevés ! La majorité étaient morts de mauvais traitements et de maladie malgré l'intervention de l'évêque de Tahiti pour les faire rapatrier. Peu après ces tragiques évènements, des missionnaires européens étaient venus s'installer sur l'île pour baptiser la population et lui venir en aide. Un aventurier français du nom de Dutrou-Bornier, un homme violent, avait aussi fondé une ferme avant d'être mystérieusement assassiné. Mon père et moi, nous nous regardâmes avec tristesse en apprenant ces mauvaises nouvelles. Iouaritaï avait-elle péri peu de temps après le départ de mon grand-père ? Alfred, lui, grimaça. Si tous les anciens de l'île étaient morts, comment allait-il mener son travail d'ethnologue ? Qui allait-il interroger pour percer le mystère des moaï ?

Dès la première semaine de notre séjour, les évènements devaient pourtant se précipiter. Le mardi, mon père et Henri décidèrent de partir explorer l'intérieur des terres en direction du volcan Rano Raraku. Deux heures après avoir quitté la maison du gouverneur, ils aperçurent pour la première fois des moaï parmi les troupeaux de moutons. Ceux-là étaient encore debout, contrairement aux idoles brisées et jetées à terre que mon grand-père avait vues le long des côtes lors de son séjour. Le gouverneur ayant autorisé les membres de notre expédition à aller où bon leur semblait, mon père et son compagnon franchirent sans hésiter les clôtures de barbelés pour s'en approcher.

Les sculptures monstrueuses jaillissaient par dizaines des pentes du volcan. Plantées de travers directement dans la terre, elles penchaient tantôt à gauche, tantôt à droite, en avant ou en arrière, ce qui leur donnait une allure titubante. « On aurait dit des sentinelles ivres ! me raconta mon père le soir même. Et plus on approchait du cratère, plus il y en avait ! J'avais l'impression de faire face à des soldats en marche ou à des gardiens postés là pour nous empêcher d'aller plus loin. » Alors qu'ils avaient déjà entamé l'ascension du volcan, mon père s'approcha sans méfiance d'un moaï qui paraissait mieux conservé que les autres. Et là… Patatras ! Sous les yeux horrifiés d'Henri, il disparut ! Avalé par la terre ! Englouti, aspiré, mangé !

Aujourd'hui, je me dis qu'il a eu une sacrée veine… Mon père fit ce jour-là une chute de plus de deux mètres dans un tunnel creusé dans la lave. Sa dégringolade fut heureusement amortie par un tapis de mousse. Il n'empêche qu'on le vit revenir cinq heures plus tard au village, appuyé sur le pauvre Henri, tout suant, le poignet plâtré et la cheville bandée. Pour un premier jour d'exploration, le bilan était plutôt lourd ! Le médecin de l'île préconisait de le rapatrier à Santiago, mais mon père refusa tout net. Ce n'étaient pas de petites blessures de rien du tout qui allaient l'empêcher de percer les secrets de l'île de Pâques, tout de même !

Dès le surlendemain, nous retournâmes tous à cheval au pied du moaï piégé. En un clin d'œil, nous dégageâmes l'entrée des herbes folles qui la dissimulaient, puis Henri et Alfred descendirent en rappel avec des lampes, des cordes, des harnais et des piolets. J'attendais un peu anxieux avec mon père, penché au-dessus du boyau. Un quart d'heure passa, une demi-heure... Toujours rien. Mon père commençait à s'impatienter quand Alfred, d'en bas, cria d'une voix excitée :

– Samuel, faites descendre Pierre ! Il n'y a aucun danger ! Je veux qu'il voie ce qu'on a découvert !

– Et moi, alors ? lança mon père, vexé.

– Voyons, vous êtes blessé, restez là-haut !

En maugréant, mon père m'encorda, puis il guida ma descente jusqu'à ce qu'Alfred me réceptionne. Au début, le temps de m'habituer à la pénombre, je ne vis rien. Puis, sur la gauche, j'aperçus d'énormes blocs de pierre polie parfaitement lisses, façonnés de main d'homme. Sans un mot, Alfred s'y dirigea en me faisant signe de le suivre. Il s'accroupit pour ramper à travers une petite ouverture creusée au ras du sol. Nous progressâmes ainsi quelques minutes dans un boyau étroit. Je n'osais avouer que je détestais l'obscurité. Alfred se serait moqué... Henri nous attendait à l'autre extrémité dans une cavité plus grande que la première et éclairée par des rais de lumière qui filtraient par les fissures de la roche. Cette fois, je poussai un cri de surprise. Au plafond, sur les parois et le sol dallé, des centaines de visages aux oreilles écartées, aux bouches tordues et aux yeux ronds nous fixaient d'un air halluciné.

– Ce sont des pétroglyphes, murmura Alfred comme s'il ne voulait pas déranger les esprits du lieu. Des gravures sur pierre...

Je ne pus m'empêcher à mon tour de chuchoter :

– On se trouve dans une sorte de grotte préhistorique, non ?

– Je ne sais pas, Pierre, souffla Alfred, les yeux exorbités.

Je scrutai plus attentivement les creux et les bosses de la roche. Aux représentations humaines s'ajoutaient çà et là des figures géométriques, des plantes et tout un bestiaire fantastique : des créatures mi-homme mi-oiseau, des tortues difformes, des pieuvres aux tentacules interminables...

– Ce n'est pas tout, s'exclama soudain Henri, qui examinait depuis un moment un tas de détritus. Regardez...

Il prit entre ses doigts quelque chose que je pris d'abord pour une pierre volcanique. Henri secoua la tête.

– Non, c'est un morceau de bois calciné, dit-il en grattant sa trouvaille. Quelqu'un a fait du feu récemment.

Je regardai Alfred, interloqué.

– Mais... Qu'est-ce que ça veut dire ?

Henri se redressa, les yeux brillants, et, s'adressant à Alfred qui avait déjà compris, il ajouta :

– Cela veut dire que cette grotte est habitée. De manière clandestine...

Chapitre 6

Le peuple des profondeurs

Quand nous rentrâmes ce soir-là, nous décidâmes d'un commun accord de ne rien révéler au gouverneur. Nous voulions mener notre propre enquête. Une exploration plus poussée nous avait convaincus qu'un groupe assez important de personnes vivait caché sous nos pieds, dans le plus grand secret. À partir de la caverne aux pétroglyphes, une demi-douzaine de galeries rayonnaient, les unes vers le sommet du volcan éteint, les autres vers la plaine, en direction de la mer. André et Henri ne se tenaient plus de joie. À chaque pas, ils découvraient des traces de foyers et des fours rudimentaires en parfait état de marche. Plus étonnant, nous remarquâmes dans les boyaux les plus larges des plateformes surélevées taillées dans la roche. Ces constructions bizarres ressemblaient à d'énormes banquettes entourées de murets de pierre sèche qui délimitaient différentes pièces. Comme il était aisé d'y accéder par quelques marches, Henri y pénétra. Dans la première « chambre », des dizaines de pointes de lances, de hameçons, d'aiguilles en os et d'outils en obsidienne taillés comme des silex préhistoriques gisaient sur le sol, à moitié recouverts par de la terre. Dans la deuxième pièce, nous l'entendîmes pousser des « Oh ! » et des « Ah ! » de surprise. Des peintures rupestres représentant des oiseaux de mer couvraient les murs. Au sol, quelqu'un avait empilé des dizaines de sculptures en bois de styles très différents. Elles représentaient tantôt des créatures en forme de lézard, tantôt des hommes à tête d'oiseau. Il y avait aussi de petites idoles emmaillotées dans des étuis en paille, des pagaies à tête humaine et des statuettes d'hommes squelettiques. Dans d'autres grottes, nous tombâmes nez à nez avec des pétroglyphes ressemblant à des condors, des singes et des pumas. Là encore, Henri fut très intrigué. Aucun de ces animaux ne vivait à Rapa Nui. Comment les anciens Pascuans avaient-ils pu avoir connaissance de leur existence ?

Plus tard, Henri m'expliqua les raisons de son étonnement : il n'avait jamais vu ce genre de représentations ailleurs en

Polynésie. Surtout, il était stupéfait par la diversité artistique de la production pascuane. Comme je ne comprenais pas pourquoi, voici ce qu'il m'expliqua :

– Il est très rare, voire impossible, que des êtres humains confinés sur de tout petits territoires puissent se montrer très créatifs. C'est mon expérience d'archéologue qui me l'a appris ! Or, l'île de Pâques est minuscule. Ses habitants ont toujours été très isolés. Où ont-ils donc trouvé l'inspiration pour forger tous ces objets ? ! Comment ont-ils pu développer, seuls, des techniques aussi différentes ?

Les adultes autour de moi étaient alors d'autant plus perplexes que la sculpture ne s'avéra pas le seul domaine d'excellence de nos mystérieux troglodytes. La journée se terminait, nous étions fourbus d'avoir passé des heures à la lueur des lampes torches, à dessiner, photographier, décrire, numéroter, ramasser et emballer nos trouvailles dans des sachets prévus à cet effet. Nous nous apprêtions à ressortir à l'air libre en suivant le chemin par lequel nous étions arrivés quand Alfred proposa d'explorer une ultime galerie, plus petite que les autres mais dont l'extrémité, éclairée par la lueur du soleil couchant semblait-il, devait déboucher non loin de la surface. À mesure que nous approchions de cette source lumineuse, Alfred accélérait le pas. Je l'entendais marmonner :

– Non... Ce n'est pas possible... Comment ils ont fait... ?

Puis il finit par s'exclamer :

– Ça alors ! Mais regardez-moi ça ! Ils ont réussi à cultiver sous terre des fruits et des légumes ! Sur cette île où il n'y a même pas d'arbre !

Au débouché de la galerie s'étendait un jardin à demi enterré, de surface assez modeste mais suffisante pour y contenir plusieurs rangs de patates douces, d'arrow-root[1] et d'ignames. Quelques bananiers et plants de canne à sucre agrémentaient la vue, ainsi qu'un autre arbuste, qu'à l'époque je ne connaissais pas : le mûrier à papier. Je levai les yeux au ciel : nous nous trouvions peut-être à cinq ou six mètres au-dessous de la surface du sol, dans un effondrement naturel qui, avec le temps, s'était rempli d'humus. Dans la lumière rouge du soleil couchant, j'aperçus au-dessus de nos têtes la lune et quelques étoiles.

– Pourquoi ne cultivent-ils pas en surface ? demandai-je à Henri.

– Je suppose que cette technique leur permet de ne pas se faire remarquer par les autorités chiliennes…

Alfred hocha la tête. Il ajouta, l'air pensif :

– Certainement. Mais j'ai vu des jardins de ce genre ailleurs en Polynésie. Cette manière de cultiver est très ancienne. Elle permet de protéger les plantes du soleil et du vent. Il s'agit en quelque sorte d'une serre naturelle…

Henri consulta sa montre.

---

1. Racine de la maranta, une plante tropicale.

– Il est tard, nous devrions rentrer. Je ne veux pas attirer l'attention du gouverneur.

– Tu as raison, approuva Alfred. Il fera jour demain.

Quelques minutes plus tard, montés sur nos chevaux qui n'avaient pas bougé de la journée, nous descendions les pentes du Rano Raraku en direction de Hanga Roa. Un vent frais chargé d'humidité soufflait depuis la mer. Je songeais à mon grand-père qui, en 1872, avait remarqué des sentiers très bien entretenus qui semblaient descendre dans la mer. Nous avions à présent la réponse à cette énigme. C'étaient les troglodytes qui, déjà à l'époque, les empruntaient. Pourquoi se terraient-ils depuis si longtemps dans les entrailles de l'île ? Dans l'obscurité, les moaï me parurent tout à coup fourbes et menaçants. Une armée de menteurs...

À peine étions-nous rentrés ce même soir que le gouverneur nous faisait appeler pour nous annoncer une nouvelle d'importance. Le lendemain, il recevait la visite officielle de M. Muñoz, l'émissaire du gouvernement chilien, et de son épouse. Ce dernier ayant entendu dire que nous explorions l'île, il avait exprimé le vœu de nous rencontrer. À 19 heures précises, nous descendîmes donc à l'entrée de la salle à manger d'apparat de la maison du gouverneur, habillés en grande cérémonie. J'avais dû avouer à mon père que j'avais cédé mon costume de matelot taillé sur mesure par les meilleurs couturiers de Paris à ces petits vauriens du port de Lorient. Il en fut fort déçu et me sermonna, mais il ne put s'empêcher de rire à ma ruse. Ce fut donc vêtu en modeste petit mousse que je saluai nos visiteurs et pris place à table. Après les présentations d'usage, la conversation roula rapidement sur notre présence à Rapa Nui. Ces mots d'adulte m'ennuyaient fort. Aussi, pour m'occuper, je reportai mon attention sur une jeune servante pascuane que je n'avais jamais vue jusque-là. J'appris plus tard que l'épouse du gouverneur l'avait embauchée en extra pour aider en cuisine. Elle s'appelait Lotu (prononcez Lotou) et devait avoir 17 ou 18 ans. Elle n'était pas spécialement jolie, mais son comportement ne tarda pas à m'intriguer. Chaque fois qu'elle apportait un plat, elle prenait son temps, servait et se déplaçait lentement autour de la table. Lorsqu'elle avait terminé, elle restait postée dans l'ombre près de la porte qui séparait la cuisine de la salle à manger, ce qu'aucun domestique ne faisait. Je ne tardai pas à comprendre qu'elle ne perdait pas un mot de ce qui se disait.

– Pierre ? ... Pierre ?

Je sursautai et regardai autour de moi en clignant les yeux.

– Oui ? Quoi ?

Mon père fronça les sourcils.

– Eh bien... À quoi rêves-tu ? Cela fait deux fois que je te demande d'aller me chercher les carnets de croquis que ton grand-père a dessinés lors de sa visite à l'île de Pâques. M. et Mme Muñoz aimeraient les feuilleter.

– J'y vais tout de suite.

Je revins quelques minutes plus tard. Tandis que M. Muñoz tournait les pages en s'extasiant, j'observais discrètement Lotu. À la vue du dessin de la scène d'enlèvement du moaï par l'équipage de *La Flore* en 1872, son visage se ferma soudain.

Mon père prit à ce moment la parole :

– Nous comptions faire cadeau de ces carnets de croquis aux Pascuans...

– Vous n'y pensez pas, le coupa brutalement M. Muñoz. Aucun d'entre eux ne saura en apprécier la valeur. Faites-en plutôt don à notre cher président de la République Alessandri. Après tout, l'île de Pâques est propriété de mon pays depuis 1888.

Par politesse, mon père fit semblant d'approuver, mais je sais qu'il n'en pensait pas moins. Ces Chiliens traitaient fort mal les Pascuans... Il n'allait pas leur abandonner les souvenirs de mon grand-père ! Et puis, quel mépris ! Il se tourna vers moi en me tendant les carnets :

– Va les ranger, Pierre... Nous verrons cela un autre jour.

Lorsque je revins dans la salle à manger quelques minutes plus tard, Lotu avait disparu. Je ne la revis pas de la soirée. Il est vrai que le dîner tirait à sa fin. Les cafés avaient été servis au fumoir, où j'avais été admis, tandis que les épouses papotaient au salon. Lorsque la belle horloge en bronze sculpté posée sur la cheminée sonna onze heures, tout ce beau monde se sépara avec force salutations et amabilités. Je m'écroulai sur mon lit, épuisé. Je pense que j'aurais dormi d'une traite jusqu'au lendemain si, vers deux heures du matin, un horrible cauchemar ne m'avait perturbé. Je m'y voyais aux prises avec une centaine de moaï pas plus hauts que trois pommes mais à l'air féroce. Ces petits monstres ricanants, insolents et fort méchants sortaient tout droit d'un très lointain passé. Ils avaient envahi le présent pour se venger des marchands d'esclaves et des pilleurs. Croyant que j'étais moi aussi un voleur de statues, ils me traînaient par les cheveux dans les tunnels de lave de l'île pour me punir. Ils s'apprêtaient à m'arracher les yeux quand je me réveillai, en nage. Derrière la porte, un frôlement à peine perceptible... Le cerveau encore embrumé, je me levai et passai la tête dans le couloir. Je crus voir une ombre, du côté de la chambre de mon père. Je m'approchai... Curieux. La porte était entrebâillée. Je la poussai... et vis une silhouette noire accroupie au pied de la table de chevet, en train de fouiller dans le tiroir ! En une fraction de seconde, je décidai de ne pas donner l'alerte. Mieux valait suivre l'intrus... Sans bruit, je filai dans ma chambre, m'habillai à toute vitesse et me postai derrière la porte pour guetter. Comme je l'avais prévu, le cambrioleur, léger comme une plume, repassa dans le couloir, descendit au rez-de-chaussée et courut vers l'arrière-cuisine, qui donnait sur le jardin. Je le suivis tant bien que mal et me retrouvai à l'extérieur de l'enceinte du domicile du gouverneur, sur le chemin qui mène au Rano Raraku. Pas un brin de lune n'éclairait mes pas. J'avais fort à faire pour ne pas me laisser distancer par mon mystérieux visiteur qui bondissait à travers champs comme un elfe! Après une demi-heure de course, je le vis bifurquer en direction du volcan et grimper à toute vitesse ses flancs couverts de hautes herbes jaunes. Il slalomait entre les monstrueuses têtes de moaï! J'avançai à mon tour, courbé à demi, en scrutant les alentours. Très lentement, je m'accroupis. Je tentai de calmer les battements désordonnés de mon cœur et de respirer sans bruit. Je ne le voyais plus. Où diable était-il passé? M'avait-il repéré? Un quart d'heure passa. Rien. Ni mouvement ni bruit, à part le vent et la petite musique aigrelette des cloches au cou des moutons... Je me décidai à me relever pour marcher jusqu'au sommet. J'aperçus alors mon voleur à quelque deux cents ou trois cents mètres en contrebas. Il redescendait à petites foulées par un sentier vers le cratère, occupé par un lac aux eaux noires. Arrivé tout en bas, il prit place à bord d'une pirogue et pagaya avec vigueur en direction de la rive opposée, où il disparut dans une anfractuosité de la roche...

Chapitre 7

Une étrange cérémonie

Faute d'embarcation, il me fallut une heure pour contourner le lac et rejoindre par un sentier broussailleux la grotte à demi immergée. Comme je m'y attendais, le cambrioleur avait dissimulé sa pirogue derrière un rocher avant d'emprunter un boyau assez étroit qui s'ouvrait dans la roche au-dessus des eaux. Je m'y avançai à mon tour pendant quelques dizaines de minutes jusqu'à parvenir devant un mur de pierres parfaitement lisse. Le même type de construction que dans les galeries que nous avions découvertes... Ainsi, mon voleur appartenait sans doute au clan des troglodytes. La galerie finit par déboucher sur une gigantesque salle taillée dans la pierre, d'une hauteur d'au moins vingt mètres. Je reculai vivement pour ne pas être repéré. Un immense moaï peint en rouge et blanc se dressait sur un ahu, une plateforme de pierre identique à celles que mon grand-père avait vues. Le plus frappant était sa tête. Contrairement aux moaï abandonnés à l'extérieur, celui-ci portait une sorte de coiffe en pierre rouge. J'appris plus tard qu'il s'agissait d'un *pukao*, une sorte de chapeau ou de chignon taillé dans une pierre rouge. Il se distinguait aussi des autres moaï par ses deux yeux sculptés dans du corail blanc et de la pierre noire. Une quinzaine de jeunes hommes tenaient des torches allumées autour de la sculpture géante, formant un cercle de feu auquel s'ajoutaient les lueurs vacillantes de petites lampes en terre cuite posées sur le sol. À leurs côtés, une jeune femme, debout, s'adressa à mon voleur :

– As-tu ce que je t'ai demandé ?

– Oui.

Comme elle était vêtue d'un pagne, je ne la reconnus pas immédiatement. Mais je n'eus bientôt plus de doute. Lotu, la jeune servante du gouverneur, était bien celle qui avait commandité le vol… À droite du moaï, un groupe de vieillards se tenait dans l'ombre. L'un d'eux s'avança dans la lumière. Je plaquai la main sur ma bouche pour ne pas hurler de terreur. La moitié de son visage ainsi que ses mains étaient affreusement rongées et boursouflées. Des lépreux... Je l'ignorais alors, mais l'île de Pâques comptait en 1924 une vingtaine de malades qui vivaient en reclus à la léproserie. Je sus plus tard que le gouverneur connaissait parfaitement leur existence. Mais il s'en fichait... Des religieuses s'occupaient des malheureux. Dès l'instant qu'ils étaient parqués le plus loin possible d'Hanga Roa et de Mataveri, où se trouvait la ferme de la compagnie Williamson & Balfour, les autorités chiliennes pas plus que les responsables de la compagnie anglaise ne voulaient s'en préoccuper. Malgré la distance, je remarquai les tatouages de couleur bleu sombre qui couvraient les corps des participants à cette étrange cérémonie. Ces ornements leur donnaient un air farouche et inquiétant, je dois dire. Je repensai aux cannibales qui, autrefois, peuplaient les îles de Polynésie... Étrangement, je ne ressentais aucune crainte. *Comme si je connaissais ces gens...* Le jeune Pascuan que j'avais eu tant de mal à poursuivre s'avança vers Lotu et lui tendit des livres recouverts d'une jolie couverture de cuir marron... Les carnets de croquis de mon grand-père ! Tandis qu'il s'inclinait et reculait en saluant, Lotu déposa respectueusement les dessins aux pieds du moaï. Un vieillard lépreux coiffé d'une grande couronne de longues plumes noires s'avança à son tour. Il tenait entre ses mains un bâton couvert de signes étranges, qu'il éleva en direction de l'idole. Le grand prêtre commença à se balancer lentement de droite à gauche et d'avant en arrière. Puis il entama une marche lente autour de la statue. De temps en temps, il regardait son bâton et le palpait, comme s'il voulait sentir sous ses doigts les symboles qui y étaient gravés. Un chant triste et doux s'éleva de sa poitrine, repris en chœur par l'ensemble des lépreux. Les modulations des voix me fascinaient : tantôt gutturales, tantôt aiguës, elles semblaient raconter des histoires tristes. Puis le silence revint. Lotu, agenouillée, leva les bras vers le moaï, reprit les carnets de croquis de mon grand-père puis s'approcha du grand prêtre.

– Il faut à présent ôter son *mana*[1] à l'ancêtre de ta tribu. Es-tu prêt ?

Le lépreux approuva d'un simple hochement de tête. J'assistai alors au spectacle le plus déroutant qu'il m'a été donné de voir dans ma vie. À l'aide de cordes et d'une chèvre[2] de bois, le moaï fut avec beaucoup de précautions basculé de sa plateforme vers l'avant, puis déposé face contre terre. À l'aide d'un burin et d'un marteau, Lotu délogea de leurs orbites les yeux de corail du moaï. Des sculpteurs, tous atteints de la lèpre et venus des profondeurs de la grotte, apparurent, brandissant des outils en basalte et obsidienne[3]. Ils commencèrent à sculpter sur le dos de l'idole des pétroglyphes représentant des hommes à tête d'oiseau à gros yeux ronds. Une fois qu'ils eurent fini, Lotu et le grand prêtre, aidés par quelques hommes, commencèrent à enfouir la statue

---

1. *Mana* est un mot polynésien qui veut dire « force surnaturelle ».
2. Appareil rustique de levage.
3. Pierre volcanique très dure.

sous des galets. Pendant ce temps, les sculpteurs s'éparpillèrent dans toute la grotte. Ils tracèrent d'abord des traits sur chaque surface de rocher disponible. De là où j'étais, je ne distinguais pas les formes dessinées, mais je compris lorsqu'ils commencèrent à taper sur leurs burins : ils sculptaient de nouveaux moaï... Mais des moaï à peine ébauchés, qui n'étaient pas destinés à être achevés parce qu'il était impossible de les détacher de la roche. J'étais tellement hypnotisé que je ne vis pas le temps passer. L'opération dura pourtant plusieurs heures, jusqu'à l'aube. Les hommes étaient loin d'avoir achevé leur besogne, mais je n'avais plus le temps d'attendre. Avant que les Pascuans troglodytes ne refluent vers la sortie, je m'éclipsai discrètement. L'urgence était de prévenir Alfred, Henri et mon père. Sans comprendre réellement ce que je venais de voir, je sentais que j'allais contribuer à lever une petite partie du voile qui recouvrait les mystères de l'île de Pâques...

***

— Ce que tu nous racontes là est très étrange, répétait pour la dixième fois Henri, dubitatif.

Nous étions assis tous les quatre autour de la table de la salle à manger. J'étais revenu à temps pour le petit-déjeuner que l'épouse du gouverneur nous faisait servir tous les matins à partir de 8 h 30. Mon père ne s'était rendu compte d'aucun des évènements qui s'étaient déroulés durant la nuit. Il fut fort contrarié quand je lui appris que les cinq carnets de croquis de mon grand-père avaient été volés et qu'ils se trouvaient à présent entre les mains de Lotu.

– Au moins sont-ils revenus aux Pascuans, se consola-t-il. Mais j'aurais préféré les remettre moi-même à Iouaritaï ou à des personnes qui l'ont connue. Du reste, je ne renonce pas à retrouver la trace de cette femme. Il faut absolument que nous parlions à cette jeune fille... Lotu, dis-tu ?

– Revenons à cette cérémonie bizarre à laquelle tu as assisté, Pierre, coupa Henri. Tu dis qu'il y avait une sorte de prêtre avec des plumes noires et qu'il tenait un bâton gravé... Gravé de quoi ? De dessins ?

– Difficile à dire... Mais oui, de loin, cela ressemblait à de petits dessins alignés de manière régulière.

Alfred, assis à ma droite, prenait des notes.

– Il pourrait s'agir d'une écriture, dit-il lentement. Les signes que tu nous décris ressemblent à des pictogrammes ou à des glyphes... Si tel est le cas, cette découverte est extraordinaire parce que, jusqu'à présent, nous ne pensions pas que les peuples polynésiens aient pu inventer une écriture. Aujourd'hui, pour tous les archéologues, l'écriture a été inventée par les Sumériens vers 3 500 ans avant Jésus-Christ ! Si nous parvenions à la déchiffrer, nous en apprendrions certainement beaucoup sur le passé de Rapa Nui et l'origine de ses habitants.

– Ce que je ne comprends pas, marmonna Henri, c'est la présence de ce moaï à l'intérieur de la grotte et son excellent état de conservation...

– Que représentait cette statue, selon toi? coupa Alfred.

Je fis un effort pour me souvenir des paroles exactes de Lotu.

– Hum... La jeune fille a parlé d'ancêtre et de tribu...

Alfred leva les yeux au ciel en mordillant son crayon.

– On pourrait donc parfaitement imaginer que les moaï représentent d'anciens chefs de tribus, n'est-ce pas? Au fil du temps, ils ont été divinisés. Les anciens Pascuans pensaient certainement que ces gros culs-de-jatte[1] les protégeaient et leur assuraient eau et nourriture. Ils devaient les vénérer, ce qui expliquerait qu'ils les aient installés sur ces grandes plateformes cérémonielles qu'on appelle ahu. Chaque tribu devait posséder son propre ahu, avec ses propres statues dotées d'yeux semblables à ceux que tu as vus... Les yeux, à mon avis, symbolisent la force spirituelle. Ce sont eux qui donnent leur pouvoir aux dieux.

– Combien crois-tu qu'il y avait de tribus sur l'île? demandai-je.

– À voir les ruines de moaï qui ont été repérées à ce jour par les explorateurs et scientifiques qui sont passés par là, je dirai qu'il y en avait peut-être une dizaine ou une douzaine, dit Alfred.

– Ta théorie est plausible, concéda Henri. Mais pourquoi trouve-t-on des moaï directement fichés dans la terre sur

---

1. Alfred Métraux employait réellement cette expression à propos des moaï!

les flancs du volcan ? Pourquoi ceux-là n'ont-ils pas été hissés sur des ahu ? Et pourquoi n'ont-ils pas d'yeux ?

– Les moaï sont taillés dans le tuf. On sait que le volcan servait de carrière et même d'atelier géant aux sculpteurs, rappela Alfred. Peut-être que les Pascuans n'ont pas eu le temps de les achever et de les acheminer jusqu'à la côte ? Quand on les regarde, on a vraiment l'impression que ces statues ont été soudainement englouties par un énorme glissement de terrain...

– Admettons, intervint mon père. Mais cela ne nous éclaire pas sur la présence dans la grotte de ce moaï qui a l'air neuf ! Et puis, pourquoi l'ont-ils mis par terre ? Pourquoi ont-ils couvert son corps de pétroglyphes représentant des oiseaux ? Pourquoi l'ont-ils enseveli sous des galets ? Et qu'est-ce que les croquis de mon père ont à voir là-dedans ?

– Les Pascuans troglodytes croient peut-être que ces dessins représentant des moaï détiennent un pouvoir magique ? suggéra Henri.

Alfred, tout à coup, bondit de son siège.

– Dites donc ! s'exclama-t-il. Si les moaï sont tous à terre aujourd'hui, c'est que peut-être les Pascuans ne croyaient plus en leur pouvoir ? Pour une raison inconnue, à un certain moment de leur histoire, ils ont abandonné leurs dieux et les ont remplacés par un culte à une autre divinité, comme cela se passe souvent dans les sociétés traditionnelles.

– Oui, oui..., marmonna Henri en se frottant le menton. D'ailleurs, cette religion pourrait bien avoir quelque chose à voir avec ces pétroglyphes en forme d'oiseaux ou d'hommes à tête d'oiseau. Rappelez-vous... On en a vu beaucoup dans les grottes !

Je réfléchis un moment, un peu perdu.

– Récapitulons..., reprit Alfred. Les Pascuans croyaient autre-fois en la force surnaturelle des moaï, puis quelque chose les a fait changer d'avis... Ils n'y ont plus cru. Qu'est-ce qui s'est passé ensuite ? Ils ont renversé et brisé les idoles, ce qui expliquerait pourquoi, lorsque les Européens ont débarqué ici, ils ont aperçu très peu de statues debout sur les ahu ?

– On peut imaginer aussi qu'une très vive rivalité a opposé plusieurs tribus entre elles, objecta Henri. Abattre les moaï de la tribu adverse devenait dans ce cas un moyen de l'affaiblir...

Alfred secoua la tête.

– Je ne suis pas d'accord avec toi, Henri. Qui dit qu'il y a eu des conflits ? Si cela se trouve, les moaï ont été déposés à terre tranquillement, sans haine, puis recouvert de pétroglyphes pour leur donner une nouvelle valeur symbolique. Comme dans cette cérémonie que Pierre a surprise cette nuit...

– Euh... Je ne comprends pas très bien, dis-je en levant le doigt comme à l'école.

– Les Pascuans avaient peu de ressources, dit Alfred. Ils devaient économiser la matière première. Au lieu de détruire les moaï, ils en ont peut-être fait un autre usage. Ils ont pu s'en servir pour honorer un nouveau dieu, par exemple cet homme-oiseau dont parle Henri. Ce qui expliquerait pourquoi ils ont sculpté ces pétroglyphes sur leur dos...

– Quelles sont les raisons qui, autrefois, auraient pu pousser les Pascuans à ne plus croire aux pouvoirs de leurs dieux ? demanda mon père.

Nous nous regardâmes en silence pendant un moment. Puis Alfred se leva. Les poings appuyés sur la table, il se pencha vers nous, l'air bien décidé :

– Pour le savoir, il n'y a qu'une solution : il faut convaincre Lotu et les lépreux de nous parler...

Chapitre 8

Des révélations inattendues

Ah, mon petit lecteur, nous approchons du terme de cette histoire. Tellement de souvenirs remontent à ma mémoire en cet instant... De bons et de mauvais souvenirs... Je dois t'avouer que, lorsque nous cherchâmes à entrer en contact avec Lotu, nous fûmes reçus fraîchement. Plusieurs villageois tentèrent d'abord de nous dissuader. « Elle ne connaît rien au passé des Pascuans. Elle va vous raconter n'importe quoi ! » nous disaient-ils. Je crois aujourd'hui qu'en réalité, ils étaient jaloux d'elle... Quand nous eûmes enfin connaissance de son adresse, non loin de la léproserie, nous ne doutions pas que nous pourrions lui parler. Mais elle refusa d'ouvrir sa porte ! Pendant des jours, nous assiégeâmes littéralement sa maison, une vieille bâtisse qui semblait abandonnée au milieu de quelques maigres palmiers. Sans succès... À la fin, mon père s'énerva. Il tambourina de toutes ses forces sur la porte en hurlant :

– Rendez-moi les dessins de mon père ! Voleuse !

La porte s'ouvrit d'un seul coup pour laisser passage à une Lotu en furie.

– Comment OSEZ-VOUS me traiter de voleuse ! ? Et d'abord, de quels dessins parlez-vous ?

La colère de mon père tomba d'un seul coup, si bien qu'il resta muet, comme Alfred, Henri et moi. Pour l'heure, il n'était pas question de dévoiler à Lotu que j'avais assisté à la cérémonie secrète et que nous connaissions son rôle dans le vol des croquis de mon grand-père. Mon père avait failli nous trahir... Une voix chevrotante s'éleva tout à coup du fond de la masure :

– Laisse-les entrer...

Derrière la jeune fille, je reconnus le grand prêtre. Le vieillard, enveloppé dans une cape de *tapa*[1], était à demi couché sur un grabat dans la pénombre. Il avait rabattu sur son visage une sorte de châle qui dissimulait les ravages de la lèpre. Ses yeux noirs et luisants nous dévisagèrent les uns après les autres. D'un geste, il nous invita à prendre place sur des nattes posées à même le sol.

---

1. Tissu pascuan traditionnel fabriqué avec de l'écorce de mûrier.

– Je sais qui vous êtes, dit-il en regardant mon père. Et toi aussi, ajouta-t-il à mon adresse. Puis il se tourna vers Alfred : Que voulez-vous ?

– Nous souhaitons recueillir les souvenirs de tous les anciens de l'île, pour mieux connaître votre histoire.

Le vieillard émit un bruit bizarre tandis que son corps semblait tout entier secoué par un spasme glougloutant. Je finis par comprendre qu'il riait.

– Notre histoire ? Ha, ha, ha ! Elle a été engloutie par vous, les Européens, et par d'autres, les Péruviens, les Chiliens... Toute ma tribu a été emportée il y a plus de cinquante ans au-delà des flots, par des trafiquants d'êtres humains.

– C'est vrai... Mais moi, nous qui vous parlons à présent, nous n'en sommes pas responsables, dit Alfred doucement. Je suis ethnologue. Voici Henri, mon collègue, qui est archéologue. L'île de Pâques nous passionne et nous nous sommes fixé un but : rapporter de cette mission le plus d'informations possible. Pour tenter de reconstituer le passé des Pascuans.

Le grand prêtre hésita un moment, puis il commença à chanter. Je ne comprenais rien aux paroles, mais Alfred, qui connaissait plusieurs langues polynésiennes, me les traduisit plus tard. Voici à peu près ce qu'elles disaient :

« *Hotu Matua, notre premier roi, a vogué à la merci des flots*
Vaincu, sans terre, Hotu et son clan sur la pirogue

Pendant des jours et des jours, droit devant
Du lointain ils sont venus, avec un air de triomphe et de joie
À la recherche de la terre au-delà de l'horizon
Hotu Matua a posé le pied sur Te-Pito-te-henua[1]*... »*

Il s'arrêta, un peu essoufflé. Puis il reprit la parole :

– Dans les légendes de mon île, on appelle nos ancêtres les Courtes Oreilles. Ils sont les premiers à être arrivés à Rapa Nui. Un jour, d'autres hommes sont venus par la mer sur de grandes embarcations plates, du côté où le soleil se lève. Ils étaient trapus et puissants. Ils portaient de beaux turbans. Les lobes de leurs oreilles étaient percés et déformés par de gros morceaux de bois décoratifs. C'est pourquoi on les a appelés les Longues Oreilles. On dit qu'ils se sont installés dans le nord de l'île, à Vinapu et Orongo. Les Courtes Oreilles ont marié leurs filles aux Longues Oreilles, qui sont devenus les maîtres. Je suis un descendant d'un Longue Oreille.

Henri et Alfred écoutaient, bouche bée.

– Vous dites que les Longues Oreilles venaient du côté où le soleil se lève ? Ils venaient de l'est, alors ?

– Oui...

– La seule terre à l'est, dit Henri tout excité, c'est l'Amérique latine !

---

1. Cette expression veut dire à la fois « nombril du monde » et « la fin, le bout du monde ». Elle désigne l'île de Pâques.

Je n'avais jamais vu notre archéologue dans cet état. Ne tenant plus en place, il bondit sur ses pieds et se mit à marcher de long en large en réfléchissant tout haut.

– Mais oui, c'est donc ça ! Ces murs parfaitement lisses et ajustés au millimètre près que nous avons découverts dans les galeries, ils ont été construits par des Incas ! C'est évident ! Et ces masques qui ressemblent à des faces de singes et de pumas... Ces animaux vivent en Amérique latine ! Je comprends mieux d'où vient cette extraordinaire richesse dans les formes et les styles des statuettes, des peintures et des gravures ! Il y a eu ici un mélange de deux peuples différents ! Les Polynésiens ont bénéficié des connaissances des Incas, qui étaient de grands architectes. Et les Incas se sont imprégnés des traditions pascuanes. Ce sont les Incas, bien sûr, qui ont initié la construction des moaï et des ahu ! Si tout cela est vrai, mes amis, nous avons percé une partie des mystères de l'île de Pâques. Les moaï ne sont pas du tout préhistoriques. Ils ont probablement été construits à une époque correspondant à la fin de notre Moyen Âge !

Je ne le savais pas à l'époque, mais la civilisation des Incas s'est développée en Amérique latine du XIIIᵉ au XVIᵉ siècle. Tu les connais, mon petit lecteur. Ce sont eux que Tintin affronte dans *Le temple du Soleil* ! Bon, plus sérieusement, ce peuple d'ingénieux architectes a bâti de grands temples. Il a conquis un vaste territoire qui s'étendait du sud de la Colombie actuelle au Chili et à la forêt amazonienne. En 1924, personne n'envisageait que les Incas aient pu, comme les Européens, se lancer à la conquête du Pacifique et aborder les îles polynésiennes. On ignorait par exemple qu'ils naviguaient régulièrement jusqu'aux îles Galapagos, comme l'archéologue norvégien Thor Heyerdahl allait le prouver quelques années plus tard en y découvrant des poteries d'origine sud-américaine.

Cependant, Henri avait gaffé... Dans son enthousiasme, il avait révélé que nous connaissions les galeries secrètes de l'île. Lotu et le grand prêtre s'en rendirent compte aussitôt, bien sûr... Nous nous attendions à ce qu'ils soient furieux, d'autant que nous leur avouâmes que j'avais assisté en cachette à la cérémonie de la mise à bas du moaï. Depuis les premières rafles des esclavagistes, dans les années 1860-1870, les Pascuans avaient beaucoup souffert malgré l'aide apportée par quelques missionnaires. Ils avaient quelques raisons de se méfier des étrangers ! Comme nous allions l'apprendre plus tard, une partie d'entre eux avait décidé de se réfugier dans les tunnels de lave aménagés jadis par les Incas. Refusant de travailler pour la compagnie Williamson & Balfour pour des salaires de misère, ils avaient préféré réapprendre à cultiver leurs potagers comme leurs ancêtres pour subvenir à leurs besoins. Aussi extraordinaire que cela puisse paraître, une cinquantaine de personnes avaient ainsi réussi à échapper au recensement des Chiliens et vivaient de manière clandestine depuis plusieurs dizaines d'années. Lotu remplissait un rôle particulier au sein de ce groupe, dont près de la moitié était atteinte de la lèpre. Connue de la famille du gouverneur, elle travaillait officiellement à la ferme de la compagnie, à Mataveri. Officieusement, elle chapardait tout ce qu'elle pouvait pour les donner à sa communauté. Y compris des moutons, avec la complicité de certains employés de la compagnie !

Contre toute attente, ni Lotu ni le grand prêtre ne furent en colère quand ils comprirent que nous avions percé leur secret. Ils parurent au contraire soulagés de constater que nous n'avions rien révélé au gouverneur. Le vieillard s'approcha alors de nous, avec pour la première fois un vrai sourire sur ses pauvres lèvres déformées :

– Vous ne m'avez pas demandé mon nom : je m'appelle Atamou...

Eh oui, mon petit lecteur... Sans le savoir, nous avions retrouvé l'un des compagnons de mon grand-père lors de son séjour. Atamou, c'était cet homme d'une trentaine d'années plein de santé qui, en 1872, emmenait Pierre Loti à la découverte des moaï couchés. Il avait échappé par miracle aux rafles des esclavagistes, contrairement à Iouaritaï, Houga et Petero, tous embarqués de force et probablement morts de mauvais traitements ou de maladie. Cependant, le plus surprenant de ce séjour à Rapa Nui restait à venir... Le lendemain de cette journée mémorable, un jeune Pascuan vint nous prévenir à la maison du gouverneur que nous étions conviés à nous rendre au Rano Raraku, dans la grotte au moaï. Quand nous arrivâmes, Atamou, assis sur un banc de pierre et la tête ceinte de la couronne de plumes de coq noires, tenait à la main l'un de ces grands bâtons couverts de signes mystérieux. Tous les Pascuans troglodytes étaient rassemblés autour de lui. Je remarquai en particulier les sculpteurs, placés au plus près du vieil homme, comme s'ils formaient sa garde rapprochée. Atamou frappa un grand coup sur le sol avec son bâton pour exiger le silence.

– Depuis de longues années, nous sommes une poignée à essayer de sauvegarder nos anciennes traditions et à reconstituer notre passé, commença-t-il. Nous avons installé dans les tunnels de lave des ateliers de sculpture, pour reproduire les objets de nos ancêtres. Mais j'arrive à présent au soir de ma vie. Bientôt, je ne pourrai plus vous guider. Je n'aurai plus assez de force.

Atamou s'arrêta un instant, très ému. Puis nous désignant :

– Je vous demande d'accorder votre confiance à ces hommes qui ne sont pas d'ici. Ils ont prouvé leur volonté sincère de nous aider dans cette quête de l'histoire de Rapa Nui.

Lotu s'avança alors. Elle tenait posées à plat sur ses deux mains plusieurs tablettes en bois couvertes de signes. Elle les déposa à nos pieds. Puis elle revint avec des pointes de flèches, des statuettes en bois, de petites idoles protégées dans leurs étuis de paille... Je ne mis pas longtemps à reconnaître les trésors que nous avions vus lors de notre première exploration dans les entrailles du volcan. Alfred devait me confier plus tard qu'il eut à ce moment un doute affreux : ces objets étaient-ils des originaux ou des copies[1] ?

– Avec moi, le dernier descendant mâle des Longues Oreilles va disparaître, continua Atamou. Je ne veux pas être enterré au cimetière. Mes os doivent être enfouis, selon les traditions de mes ancêtres, sous le moaï qui veillait jadis sur ma tribu. Malheureusement, celui-ci a été emporté par l'équipage de *La Flore* en 1872. Je n'ai pas pu m'opposer à cet enlèvement, comme vous le savez. J'ai donc demandé à mes vieux compagnons de m'en sculpter une copie pour qu'elle soit ma dernière demeure. Nous l'avons façonnée et peinte ici, dans cette grotte et avec la pierre du volcan sacré, en accomplissant les mêmes gestes que nos ancêtres. Nous l'avons levée avec des cordes. Nous avons récité des chants et retrouvé des « bois parlants », *rongorongo*, utilisés autrefois par nos prêtres et nos savants lors des cérémonies religieuses. Malgré nos efforts, nous n'avons pas réussi à faire marcher le moaï et à le faire sortir d'ici. Selon nos légendes, c'est pourtant ainsi qu'ils se déplaçaient autrefois. Animés par leur mana, ils sortaient du volcan et avançaient le long des chemins grâce aux « bois parlants ». Si vous retrouvez un jour la signification de ces signes rongorongo, peut-être les ferez-vous de nouveau marcher...

---

1. Les Pascuans sont de très habiles artisans. Alfred Métraux raconte dans le compte rendu de sa mission à Rapa Nui qu'il lui est arrivé de prendre une copie de pointe de flèche pour un artefact original !

J'écoutais, bouche bée. Des moaï qui marchaient... Des « bois parlants » magiques, porteurs d'une écriture unique au monde et totalement méconnue des linguistes... Des Pascuans qui sculptaient des copies d'objets anciens... Tout à coup, j'eus la curieuse impression que le passé et le présent se mélangeaient. Atamou semblait tellement croire à ce qu'il disait... Je me tournai vers Alfred et lui demandai bêtement :

– Des statues peuvent bouger toutes seules ? !

Évidemment, Alfred se moqua de moi !

– À ton avis ?, me répondit-il en éclatant de rire.

N'empêche qu'il ne put me fournir aucune réponse satisfaisante... Vu le poids probable de ces statues, vu la distance entre le volcan et les ahu situés sur les côtes, pour certains à une quinzaine de kilomètres, il était difficile d'imaginer comment les anciens Pascuans s'y étaient pris pour les déplacer. Selon Henri, ils avaient sans doute utilisé des traîneaux de bois montés sur des rondins en guise de roues. Cette technique de transport existait ailleurs en Polynésie. Mais, comme je l'ai déjà mentionné, cette explication se heurtait à un détail qui n'en était pas un : l'absence de forêt, et donc de bois.

Atamou continuait de parler, mais en s'adressant particulièrement à Henri et Alfred :

– Un long et fastidieux travail vous attend, hommes de savoir. Je veux vous transmettre une dernière légende de mon île, qui se racontait dans les veillées depuis la nuit des temps. On dit qu'un jour, une terrible sécheresse s'abattit sur Rapa Nui. Pendant des lunes, les prêtres ont adressé des prières aux ancêtres. Mais les dieux des Longues Oreilles n'entendaient rien, ils étaient devenus sourds. Alors les prêtres ont dit qu'il fallait construire des statues plus grandes pour les contenter. Mais tous nos efforts furent vains. La colère montait, montait dans le cœur des hommes et ce qui devait arriver arriva : la guerre éclata entre les Courtes et les Longues Oreilles. On dit que les Longues Oreilles perdirent le pouvoir et furent massacrés...

Après ces paroles, un silence qui me parut une éternité plana sur l'assemblée. Puis, très lentement, Atamou fit signe à Lotu d'avancer. Il se tourna cette fois vers Samuel. La voix tremblante, il lâcha alors cette information stupéfiante qui devait bouleverser mon existence :

– Lotu n'est pas ma petite-fille. Ses grands-parents s'appelaient Iouaritaï et Pierre Loti. J'ai pris soin d'elle après le départ de son père et la mort de sa mère. L'accepterez-vous comme l'une des vôtres ?

Épilogue

Voilà, mon petit lecteur, l'incroyable histoire de ma famille avec l'île de Pâques. Depuis ces jours mémorables, nous avons toujours correspondu avec Lotu. Mon père lui a envoyé régulièrement de l'argent pour améliorer ses conditions de vie. Après la mort d'Atamou, ma cousine a quitté Rapa Nui pour s'installer à Tahiti, où elle a rejoint de nombreux Pascuans descendant de ceux qui s'étaient exilés à la fin du XIXe siècle pour échapper à la misère. Je l'invite souvent en France. Nous suivons tous les deux avec beaucoup d'intérêt les fouilles archéologiques et les recherches qui concernent Rapa Nui.

À ce propos, d'ailleurs, il reste bien des énigmes à résoudre : la mystérieuse écriture rongorongo, non déchiffrée à ce jour ;

la méthode employée par les Pascuans pour déplacer les statues géantes, dont nous ne sommes toujours pas certains ; la raison pour laquelle les Pascuans ont cessé de vénérer les moaï... Il y a eu tout de même quelques découvertes depuis 1924. L'étude des sols a permis de prouver qu'autrefois, une forêt couvrait la totalité de l'île. Jusqu'au XVIe ou XVIIe siècle, les Pascuans n'ont donc pas manqué de bois ! Ils ont pu sans difficulté fabriquer leviers, rondins et traîneaux pour transporter les moaï. Nous ignorons en revanche la raison pour laquelle cette forêt a disparu. Plusieurs hypothèses existent à ce sujet, que tu peux découvrir dans les pages documentaires que j'ai préparées pour toi. Nous en savons davantage sur les pétroglyphes qui ornent les moaï, les parois des grottes et de nombreux rochers de l'île. Il s'agit de représentations de Make-Make, le dieu homme-oiseau. Ce culte a existé sur l'île de Pâques jusque dans les années 1860. Enfin, aujourd'hui, plus personne ne pense que les Pascuans sont les descendants d'une tribu préhistorique oubliée ! Les ancêtres des Polynésiens ont quitté les côtes de l'Asie du Sud-Est (du côté de Taïwan) probablement à partir de 1 500 ans avant J.-C. pour conquérir peu à peu le Pacifique. Rapa Nui, la plus isolée des îles de Polynésie, a été la dernière à avoir été colonisée, probablement entre le VIIIe et le XIe siècle, par des Polynésiens originaires des Marquises. Ce fut la première vague de migrants à s'installer sur cette terre du bout du monde. Des Incas sont-ils réellement venus s'implanter à Rapa Nui quelques siècles plus tard ? Pour ma part, j'aime croire à cette éventualité, car non seulement elle est plausible, mais elle expliquerait bien des mystères de l'île de Pâques. Elle prouverait aussi encore une fois que la rencontre entre plusieurs cultures peut donner naissance à des merveilles artistiques.

LES GRANDES ÉNIGMES DE L'HISTOIRE

Les mystères de l'île de Pâques

James Cook (1728-1779)

Ce grand navigateur anglais est à l'origine de nombreuses découvertes de terres dans le Pacifique. Lors de son deuxième voyage d'exploration autour du monde (1772-1775), il fait escale à Rapa Nui où il reste trois jours (1774). Il en est revenu avec des descriptions très précises des moaï. Son récit de voyage a rendu l'île de Pâques très célèbre !

©Everett Historical/Shutterstock

©Georgios Kollidas/Shutterstock

Jean-François Galaup de La Pérouse (1741-1788)

Envoyé par Louis XVI à la découverte des terres encore inconnues du Pacifique, La Pérouse aborde Rapa Nui en 1786. Ses hommes ont inventorié les plantes cultivées et dressé les plans précis de l'île avec l'emplacement des statues et des habitations des Pascuans. Les Français ont donné des graines (choux, carottes, maïs, citrouilles) aux habitants ainsi que des chèvres et des moutons.

Pierre Loti (1850-1923)

Écrivain et officier de marine, Pierre Loti, de son vrai nom Louis Marie Julien Viaud, a voyagé toute sa vie, de Tahiti au Sénégal, du Japon à la Turquie. Il a écrit de nombreux romans dont le plus célèbre est intitulé *Pêcheurs d'Islande*.

Il a raconté son séjour à l'île de Pâques dans *L'Île de Pâques, journal d'un aspirant de La Flore*. Pierre Loti avait un fils du nom de Samuel et un petit-fils du nom de Pierre, comme le narrateur de l'histoire !

©Bianchetti/Leemage

Un peuple polynésien

Grâce aux analyses génétiques et linguistiques, on sait que les ancêtres des Pascuans sont venus d'Asie du Sud-Est il y a 3000 à 3500 ans. De là, ils ont colonisé les îles du Pacifique et donné naissance aux Polynésiens. L'île de Pâques est la dernière terre à avoir été colonisée, vers le Xe siècle après J.-C. Les Polynésiens naviguaient grâce aux étoiles et aux oiseaux. Ils construisaient des catamarans mesurant jusqu'à 30 mètres de long grâce auxquels ils transportaient des plants et graines de végétaux à cultiver (arbres à pain, ignames, patates douces) et des animaux (cochons, rats, chiens et poules).

© Marzolino/Shutterstock

Une mystérieuse écriture

L'écriture rongo-rongo se présente sous la forme de symboles représentant des animaux et des figures humaines ou géométriques. Elle a été découverte en 1864 par le frère Eugène Eyraud. Voici ce qu'il en dit dans une lettre adressée à son supérieur: "On trouve dans toutes les cases des tablettes de bois ou des bâtons couverts d'espèces de caractères hiéroglyphiques. Ce sont des figures d'animaux inconnus dans l'île, que les indigènes tracent au moyen de pierres tranchantes." Vingt-cinq tablettes ou bâtons ont été découverts, le reste a été détruit. À ce jour, le rongo rongo n'est toujours pas déchiffré!

Une île minuscule

L'île de Pâques, située à plus de 3500 kilomètres des côtes chiliennes, est longtemps restée très isolée du reste du monde. Il y a encore une cinquantaine d'années, elle n'était ravitaillée qu'une fois par an par un navire ! Elle s'est formée durant ces 750 000 dernières années suite à des éruptions volcaniques qui ont créé dans ses sous-sols de nombreuses galeries de lave. Elle ne dépasse pas 162 km2, l'équivalent d'une fois et demi la surface de Paris !

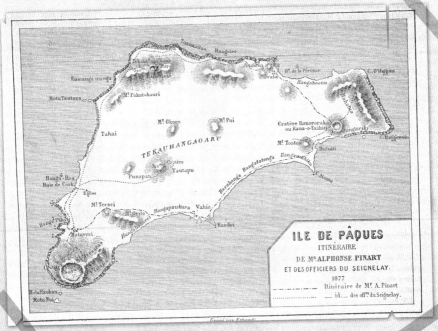

Un dieu en forme d'homme-oiseau

Ce pétroglyphe représente Make-Make. Ce dieu est le créateur de l'univers et des humains. Les Pascuans le représentaient sous la forme d'un homme à tête d'oiseau ou de celle d'un masque aux gros yeux. Ils lui rendaient un culte tous les ans en désignant un homme-oiseau. L'élu devait remporter une épreuve qui consistait à rapporter le premier œuf pondu par une hirondelle de mer. Le culte du dieu Make-Make s'est développé à partir du XVIIe siècle. On pense qu'il a remplacé le culte des moais ! Il existe plusieurs centaines de pétroglyphes de ce type sur l'île.

©DeAgostini/Leemage

Les moaï : carte d'identité

Époque de fabrication : entre le XIIIe/XIVe et le XVIIe siècle.
Lieu de fabrication : le volcan Rano Raraku et la carrière de pierres rouges du mont Punapau.
Nombre de moaï recensés : près d'un millier.
Matière : basalte et tuf (pierres d'origine volcanique)
Hauteur : entre 2 et 10 mètres
Poids : entre 20 et 80 tonnes

L'île de Pâques aujourd'hui

Rapa Nui est chilienne depuis 1888. Après avoir
été louée pendant des décennies à la compagnie
anglaise Williamson & Balfour pour l'élevage des
moutons, l'île a été rendue à ses habitants en 1966,
lorsque les Pascuans ont obtenu le droit de vote.
Aujourd'hui, près de 5000 habitants y vivent en
permanence, essentiellement grâce au tourisme.

Les moaï représentent les ancêtres de chaque tribu de l'île de Pâques. Certains portent un pukao, une sorte de coiffe de tuf rouge et se dressent sur des ahus, des plateformes cérémonielles construites sur la côte. Chaque tribu de l'île possédait son ahu sous lequel étaient enterrés les membres de la tribu. La plupart des moai sont tête nue et gisent à demi enterrés sur les pentes du volcan Rano Raraku ou à l'intérieur du cratère du volcan, où ils étaient fabriqués. Beaucoup de ces géants de pierre n'ont pas été terminés.

LES GRANDES ÉNIGMES DE L'HISTOIRE